Decorar
la mesa
con frutas y verduras

Decorar la mesa
con frutas y verduras

Marco Sabatini

Ideas y diseños
ilustrados paso a paso

Colección dirigida por Cristina Sperandeo

everest

Introducción

Lo que va a leer y observar en las páginas de este libro constituye lo que se podría definir como el abecedario de tallar frutas y verduras. De hecho, el objetivo de este libro es poner a disposición de la persona que se acerca por primera vez a esta materia los conocimientos técnicos básicos indispensables para transformar lo que pudo haber surgido como una simple curiosidad en una auténtica pasión hacia una forma imaginativa y alegre de expresarse. Lógicamente, el libro no pretende abarcar de manera exhaustiva todo lo que se refiere a la forma de tallar; simplemente trata de transmitir de la manera más clara y fluida posible las técnicas básicas para que, más adelante, cuando mediante la práctica haya adquirido una cierta familiaridad con los cortes y las figuras, pueda dar rienda suelta a sus propias fantasías.

En lo que se refiere a los instrumentos necesarios, para seguir los primeros pasos no hay que tener un juego de utensilios de cocina muy caro: un par de cuchillos, uno de ellos con una hoja muy fina, y un vaciador en forma de V le permitirán hacer innumerables composiciones. Está claro que, después, a medida que se perfecciona la técnica, se puede encontrar con la necesidad y el deseo de ampliar sus utensilios en calidad y cantidad; entonces tendrá la posibilidad de examinar las muchas propuestas existentes en el mercado a fin de conseguir un equipamiento completo.

Concluyo esta breve introducción con el deseo de que esta obra le sea de ayuda en su acercamiento a la tarea de tornear frutas y verduras. Sólo me queda desearle un buen trabajo y mucha diversión.

Sumario

Melones, calabazas y sandías . . 84

La decoración de la mesa: reseñas históricas

Desde los tiempos más remotos, el hombre ha decorado los platos y la mesa para hacerlos más agradables a la vista, logrando así que el banquete fuera más placentero. En el festín de Trimalción (que se narra en el *Satiricón* de Petronio), convertido en símbolo de la opulencia de las mesas de la Roma antigua, la sucesión de inventos fantásticos y de artificios excéntricos suscitaba la admiración de los comensales, por ejemplo los tordos que salían revoloteando del vientre de un cerdo o un centro de mesa monumental con los signos del Zodíaco formados con distintos alimentos y que escondía una liebre en su interior.

A principios del siglo XIV, cuando aparecieron los primeros recetarios italianos y empezaron a tomar forma las crónicas de banquetes fastuosos, los nobles no renunciaron a exhibir su poder y riqueza mostrando manjares en abundancia o de dimensiones exageradas. Por otra parte, también en ese siglo había a quienes les gustaba sorprender con caprichosas invenciones: los animales, especialmente los de caza, eran asados enteros, recubiertos con finas hojas de oro y llevados a la mesa; a menudo los platos eran adornados o convertidos en figuras, como por ejemplo los ravioli modelados en forma de herraduras de caballo, letras u otros diseños. Un siglo más tarde surgió la moda de los ornamentos de azúcar, como en el banquete de un cardenal veneciano, al término del cual fue presentada una composición de azúcar a tamaño natural que representaba a Hércules luchando contra el león, el jabalí y el toro, y un castillo completo con torres y rocas de grandes dimensiones.

En el siglo XVII, las decoraciones de las mesas y la elaborada arquitectura de los platos adquirieron cada vez más importancia: el cocinero se transformó en un hábil modelador para que cada plato fuese una composición inédita.

En cambio, en los siglos posteriores se produjo una inversión de la tendencia: la cocina, ligera y voluptuosa, delicada y elegante, implicaba también necesariamente una simplificación de la arquitectura de los platos: su volumen se redujo y las monumentales decoraciones de las mesas desaparecieron sin más. París dictaba las leyes en este campo, prescribiendo sabores delicados: la habilidad del cocinero se concentraba entonces en la preparación del plato y no en la presentación del mismo.

Finalmente, el arte de los platos elaborados y de la decoración de las mesas, sobre todo las de *buffet*, resurgió de nuevo con el nacimiento de la gran hostelería, entre fines del siglo XIX y principios del XX: la *Belle Époque*, que privilegiaba el arte de la hospitalidad y de la gastronomía.

Cosas que debe tener en cuenta antes de empezar

En primer lugar y desde un punto de vista práctico, recuerde que hay que prestar la máxima atención al manejar los cuchillos, que, por lo menos al principio, deberán estar afilados, aunque no excesivamente. Puesto que, habitualmente, debe hacerse una cierta presión para tallar, el más mínimo error, "especialmente" si no estamos acostumbrados, es suficiente para que el cuchillo se nos escape provocando dolorosos cortes, sobre todo si la hoja está muy afilada. Así pues, la primera cosa que hay que aprender es a empuñar correctamente los instrumentos con hoja. Observémoslo en estas fotos:

1. El cuchillo de pelar es un instrumento de precisión útil para los trabajos de entalle. Se empuña con la yema del dedo índice colocada en el dorso del cuchillo para ejercitar la presión necesaria.

2. He aquí cómo se empuña el cuchillo para cortar las verduras: instrumento fundamental en el arte del entalle, debe tomarse como un bisturí.

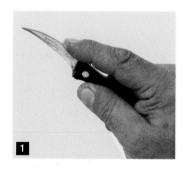

3. El vaciador en V sirve para tallar decorativamente una superficie ondulándola, o bien para tallar los pétalos de las superficies en las flores. Empúñelo firmemente con la mano con el índice y el pulgar dirigiendo y determinando la presión a ejercer.

Consejos útiles

- Durante las fases de trabajo es esencial adquirir la capacidad de **equilibrar la intensidad de la presión** ejercida sobre la fruta o la verdura a tallar, junto al dominio en la manera de empuñar el utensilio con el que tallamos. En cada momento debe controlar y dirigir la fuerza empleada para cortar y tallar.
- Es muy importante **conservar** de forma correcta **los entalles**, sumergiéndolos en agua y manteniéndolos en la nevera a una temperatura de 3-4ºC (37,4-39,2ºF).
- Por lo que se refiere a calabazas y sandías decoradas, deberá tener en cuenta algo más: **recubra** la zona entallada **con papel de cocina mojado** y, a continuación, envolved las composiciones en papel transparente antes de volver a introducirlas en la nevera.
- Ahora, unas palabras sobre la dificultad que, sin duda, encontrará al principio: le aconsejo no abandonar **ni desanimarse si los primeros trabajos que haga no son especialmente bonitos** ni logrados: ¡insista e insista! La práctica será la que le llevará a resultados satisfactorios. De entrada, las flores más simples que obtendrá de rábanos y calabacines pueden ser suficientes para embellecer su mesa, incluso añadiendo algo de follaje con el que puede crear un placentero y voluminoso efecto de conjunto.
- Al finalizar muchos proyectos surgirá la **inspiración para hacer una composición**, tal vez muy sencilla, que podrá realizar con el arte de entallar recién aprendido. Como digo, se trata sólo de una idea: usted mismo podrá inventar otras igualmente interesantes.

Los utensilios necesarios

En realidad, los instrumentos necesarios para enfrentarse al entalle no son demasiados: en general, se trata de objetos ya presentes habitualmente en la cocina. Veamos en detalle cuáles son y para qué sirven.

Vaciador ondulado: sirve para tallar creando un efecto decorativo ondulado sobre la superficie.

Cuchillo de pelar: instrumento muy importante, sirve para los entalles pequeños y para aquellos en los que es necesaria la máxima precisión.

Cuchillo puntilla: es uno de los utensilios imprescindibles del entalle; con él se hace la mayor parte de las incisiones.

Cuchillo de sierra: necesario para cortar fruta y verdura y, sobre todo, para eliminar la piel de superficies gruesas como la de las sandías, los melones...

Sacabolas: necesario cuando se extrae en forma de bolitas la pulpa de los melones, por ejemplo.

Alicates de cortar: sirven para cortar a la longitud deseada los palillos para pincho.

Vaciador en V: útil para tallar pétalos o para decorar superficies dándoles una forma ondulada.

Palillos para pincho: se insertan en el elemento entallado y sirven para fijarlo al soporte.

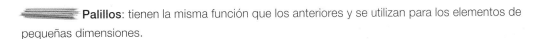 **Palillos**: tienen la misma función que los anteriores y se utilizan para los elementos de pequeñas dimensiones.

Cinta verde de arreglos florales: se enrolla alrededor de los palillos para pincho usados en una composición cuando queda visible alguna parte de los mismos.

Esponja para arreglos florales: es la esponja, generalmente de color verde oscuro, que sirve de soporte para fijar los distintos elementos de la composición.

Tijeras: para todo lo que hay que cortar.
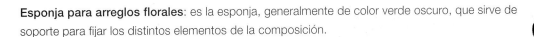

Martillo: básicamente se usa cuando se modifican los marcos para adaptarlos a una composición entallada.

Diseños básicos

Rábano

Zanahoria

Daikon
(si no se
encuentra,
sustituir
por nabos
tempranos)

Calabacín

Hinojo

Pimiento

Rábano simple

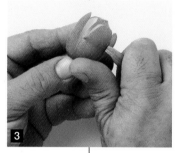

1. Tallar con el cuchillo de pelar el primer pétalo practicando una incisión a lo largo del rábano para permitir que el pétalo se abra lo máximo posible.

2. Tallar otros pétalos contiguos al primero con la misma técnica.

3. De esta manera, hacer una corola de pétalos tratando de que todos los pétalos sean más o menos del mismo tamaño.

4. A continuación, sumergir el rábano en agua para que los pétalos se abran bien, tal y como puede observarse en la fotografía.

Tiempo:
2 minutos para cada rábano

Dificultad:
1

¿Qué se necesita?:
rábanos-cuchillo de pelar

LA COMPOSICIÓN

Un plato sobre el que apoyar los rábanos tallados, rodeados por ramitas de hojas y, por qué no, una hoja de daikon tallada; en el centro, una vela encendida para crear una cierta atmósfera: una composición marcada por la simplicidad.

ESPAÑOL DE AMÉRICA
Nabo: daikon

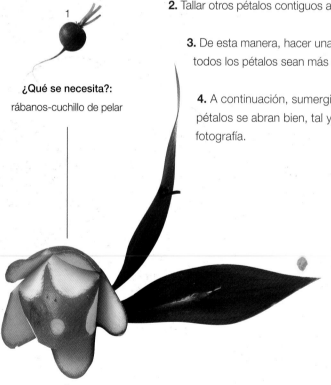

Flor de rábano

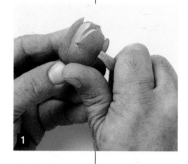   

Tiempo:

3 minutos para cada rábano

Dificultad:

1

¿Qué se necesita?:

rábanos-cuchillo de pelar

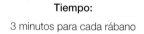

1. Con el cuchillo de pelar tallar el primer pétalo a lo largo del rábano para que pueda abrirse lo máximo posible. Hacer así la primera corola de pétalos.

2. Tallar una corona de unos 5 mm (0,19 pulg.) detrás de los pétalos para liberarlos.

3. Perfilar con cuidado y eliminar el material sobrante.

4. Tallar una segunda corola de pétalos tal y como se explica en el punto 1, tratando de no cortar demasiado profundo: deténgase más o menos a la mitad de los primeros pétalos.

5. Limpiar la parte situada detrás de la segunda corola tal y como se describe en el punto 3. Dependiendo del tamaño del rábano, puede hacer otra corola de pétalos o terminar con ésta.

6. La última operación que debe llevarse a cabo es extraer la punta roja del rábano que ha quedado en el centro.

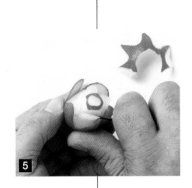

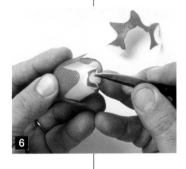

LA COMPOSICIÓN

Extrema simplicidad para esta propuesta: un jarro de cristal transparente y unas hojas grandes de un verde intenso sobre las que se recortan las flores de rábano.

Rábano en flor

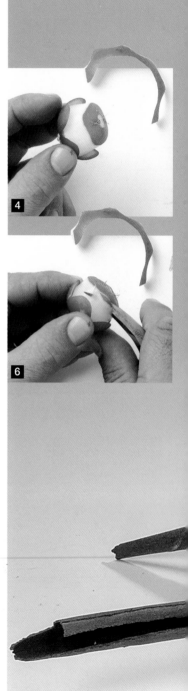

Tiempo:
3 minutos para cada rábano

Dificultad:

2

¿Qué se necesita?:
rábanos-cuchillo de pelar

ESPAÑOL DE AMÉRICA
Calabacita: calabacín

LA COMPOSICIÓN

Un ramillete de rábanos tallados muy simple con dos "hojas de calabacín" en un contenedor natural para un centro de mesa bien sencillo.

1. Tallar con el cuchillo de pelar una primera corola de pétalos empezando más o menos por la mitad del rábano.

2. Eliminar la raíz del rábano.

3. Eliminar una corola detrás de los pétalos para liberarlos.

4. He aquí cómo queda el rábano una vez terminada la primera fase.

5. Detrás de la primera corola de pétalos, tallar otra corola con los pétalos desplazados lateralmente para que queden intercalados con los primeros. Empezar la incisión incluyendo un poco de la parte roja.

6. También en este caso hay que tallar una corola para liberar los pétalos.

7. Siguiendo en el interior de la corola anterior, tallar otra corola de pétalos intercalados con los últimos tallados.

8. Como última operación, terminar la punta del rábano eliminando el material sobrante.

Rábano en piña

1. Escoger un rábano bastante largo y tallar un pétalo en la base con el cuchillo de pelar.

2. En la parte superior detrás del pétalo, extraer un trocito de rábano en forma de medialuna para separar la parte superior del arco del pétalo.

3. A continuación, proceder de la misma forma en línea vertical con el primer pétalo, prosiguiendo hacia arriba a lo largo del rábano.

4. Terminada la primera serie de pétalos superpuestos, tallar una segunda serie al lado y, a continuación, una tercera y una cuarta serie.

5. Finalmente, eliminar la parte superior y perfilar bien.

6. Terminar la parte superior tratando de obtener una punta parecida a la de un lápiz.

Rábano en piña (variante)

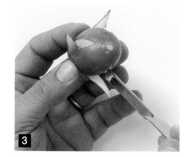

Tiempo:
5 minutos para cada rábano

Dificultad:
2

¿Qué se necesita?:
rábanos-cuchillo
de pelar-vaciador en V

LA COMPOSICIÓN
Unos cuantos rábanos finamente
tallados entre hojas y ramitas;
si lo apoya sobre un espejo
redondo, el efecto decorativo
se amplificará.

1. Tallar en profundidad el rábano en un punto lateral con el vaciador en V para obtener un pétalo largo y estrecho.

2. Realizar una nueva incisión a 1 cm (0,39 pulg.) de distancia del primer pétalo, aproximadamente, y hacer un segundo pétalo.

3. Finalmente, hacer el tercer pétalo: los tres deben ser equidistantes.

4. Entre uno y otro pétalo, tallar con el cuchillo de pelar un pétalo largo y redondeado en la base del rábano. En la parte superior detrás del pétalo, extraer un trocito de rábano en forma de medialuna para separar la parte superior del arco del pétalo.

5. A continuación, proceder de la misma forma en línea vertical con el primer pétalo, prosiguiendo hacia arriba a lo largo del rábano.

6. Continuar como se describe en el punto 4, haciendo otras dos series de arcos entre los pétalos.

7. Terminar perfilando la parte final del rábano para obtener una punta parecida a la de un lápiz.

5

6

7

Rábano en margarita

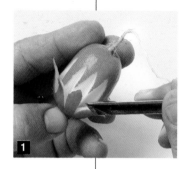

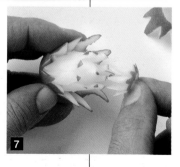

Tiempo:

5 minutos para cada rábano

Dificultad:

2

¿Qué se necesita?:

rábanos-cuchillo

de pelar-vaciador en V

1. Con el vaciador en V, tallar el rábano por la base para hacer una serie de pétalos estrechos y alargados contiguos.

2. Proseguir hasta realizar una corola completa de pétalos. Eliminar la raíz del pétalo.

3. Limpiar detrás de los pétalos, perfilando todo el rábano con el cuchillo de pelar.

4. Extraer la parte sobrante en forma de corona.

5. Empezar a hacer una nueva corola de pétalos detrás de la primera; tallar desplazando lateralmente la incisión para que los nuevos pétalos queden intercalados con los primeros. Tallar con el vaciador en V empezando por la parte roja para obtener un pétalo con un matiz rojo en la punta.

6. Completar los pétalos de la segunda corola y perfilar la parte de atrás.

7. Perfilar la punta dejando un puntito de rojo en la cima. Eliminar la parte sobrante.

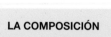

LA COMPOSICIÓN

Estos rábanos en forma de margarita o de estrella se pueden colocar entre conchas y acompañarse de una vela redonda para lograr una decoración de aires marinos.

26

Rábano en estrellas

1. Tallar el rábano con el vaciador en V partiendo de la base y hacer una corola de pétalos.

2. Repetir la misma operación y hacer una segunda corola de pétalos detrás de la primera e intercalada respecto de ésta.

3. Con el mismo vaciador en V, tallar de nuevo incidiendo, en la segunda corola de pétalos, sobre la cima del rábano; pero debe hacerse a poca profundidad: con 4-5 mm (0,15-0,19 pulg.) será suficiente.

4. Hacer lo mismo a lo largo de toda la circunferencia. Así obtendremos una punta en molinete.

5. Perfilar con el cuchillo de pelar eliminando la parte superior.

Tiempo:

5 minutos para cada rábano

Dificultad:

3

¿Qué se necesita?:

rábanos-cuchillo de pelar-vaciador en V

LA COMPOSICIÓN

Una decoración refinada para una mesa elegante: será suficiente con unos pocos rábanos en forma de estrellas acompañados de hojas verdes colocadas sobre algo elevado que esté cubierto por una tela blanca.

Rábano mil pétalos

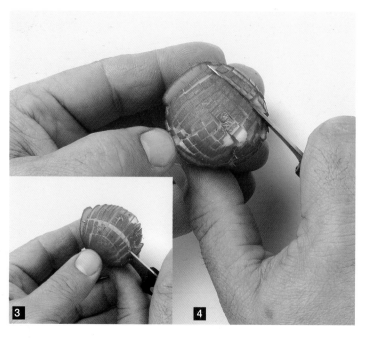

Tiempo:

5 minutos para cada pétalo

Dificultad:

2

¿Qué se necesita?:

rábanos-cuchillo de pelar

ESPAÑOL DE AMÉRICA
Nabo: daikon

1. Eliminar la raíz del rábano; a continuación, y con el cuchillo de pelar, empezar a tallar el rábano en rodajas que deben quedar unidas a la base, paralelas entre sí y a una distancia de 1-2 mm (0,039-0,078 pulg.) la una de la otra.

2. Finalizada esta primera fase, el rábano estará cortado en muchas rodajitas finas y paralelas y unidas a la base.

3. Repetir la misma operación cruzando el entalle en sentido perpendicular respecto a la primera serie de rodajitas.

4. Seguir tallando una serie de rodajitas paralelas a una distancia de 1-2 mm (0,039-0,078 pulg.) entre sí. Al finalizar, tendrá un efecto visual en "cuadritos".

LA COMPOSICIÓN

Una base de corteza sobre
la que colocar unas hojas
de daikon talladas y unas hojitas
verdes: el rojo de los rábanos
destaca entre el blanco y el verde.

LA COMPOSICIÓN

He aquí todos los tipos de
rábanos que hemos mostrado
en cada diseño reunidos en una
sola composición. En el centro,
una bola de esponja para arreglo
floral en la que, mediante palillos,
se han fijado todos los rábanos
tallados, con unas hojas verdes
intercaladas al azar.

Flores simples

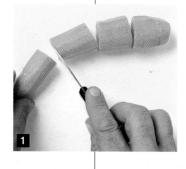

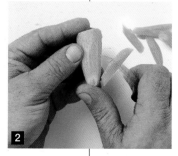

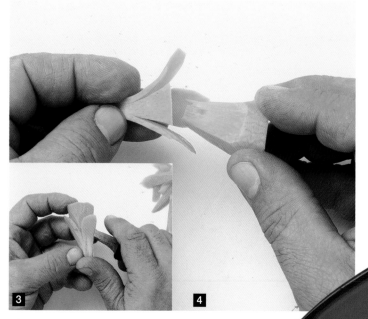

Tiempo:

3 minutos para cada flor

Dificultad:

1

¿Qué se necesita?:

zanahorias-cuchillo de pelar

LA COMPOSICIÓN

Una sugerencia muy sencilla para embellecer la mesa en ocasiones especiales como un bautismo, una comunión o, incluso, una boda.

1. Tomar una zanahoria en trozos de 4 cm (1,57 pulg.) de largo cada uno, aproximadamente. De cada uno de ellos sacaremos una flor.

2. Coger un trozo y perfilarlo tratando de darle una forma ligeramente puntiaguda.

3. Con el cuchillo de pelar tallar los pétalos, que deberán tener un grosor de unos 2 mm, (0,078 pulg.) aproximadamente, en la parte inicial y de unos 5 mm (0,19 pulg.), aproximadamente, en la parte final para que sean estables y sólidos.

4. Tomar entre los dedos la parte central de la zanahoria y girarla hasta que se separe de la flor tallada.

5. He aquí la flor terminada.

Flores de cuatro pétalos

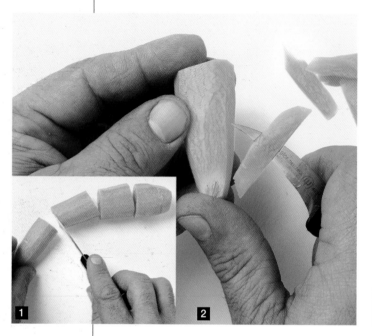

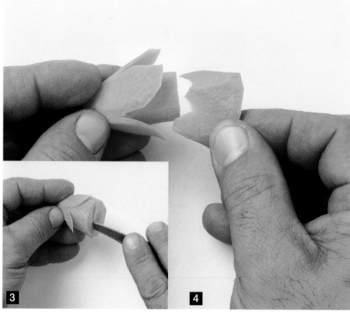

Tiempo:

3 minutos para cada flor

Dificultad:

1

¿Qué se necesita?:

zanahorias-cuchillo de pelar

ESPAÑOL DE AMÉRICA

Calabacita: calabacín

1. Cortar una zanahoria en trozos de 4 cm (1,57 pulg.) de largo cada uno, aproximadamente. De cada uno de ellos sacaremos una flor.

2. Tomar un trozo y perfilarlo tratando de darle una forma ligeramente puntiaguda.

3. Tallar una corona de pétalos bastante anchos empezando por la parte superior del trozo de zanahoria. Una vez hechos los pétalos, y manteniendo el cuchillo de pelar a 90° respecto a la cima de la zanahoria, hacer una incisión con la punta en el centro de la zanahoria hasta llegar casi a la juntura de los pétalos pero con mucho cuidado para no cortarlos.

4. Perfilar y extraer una corona para liberar el interior de los pétalos.

5. Seguir perfilando la parte central de la zanahoria hasta obtener una punta parecida a la de un lápiz.

6. He aquí la flor terminada.

5

6

Rosa del desierto

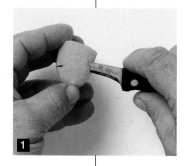

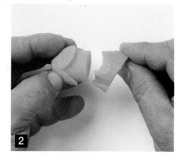

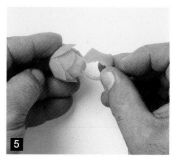

Tiempo:

5 minutos para cada flor

Dificultad:

3

¿Qué se necesita?:

zanahorias-cuchillo de pelar

1. Cortar una zanahoria en trozos de 4 cm (1,57 pulg.) de largo cada uno. Tomar un trozo y perfilar la base para que quede redondeada. Con el cuchillo de pelar, tallar cuatro pétalos alrededor de la base.

2. Perfilar y extraer una corona de zanahoria sobrante para liberar el interior de los pétalos.

3. Perfilar bien la parte central dándole una forma redonda.

4. Tallar una nueva corola de pétalos intercalados respecto a la primera.

5. Sacar nuevamente el material sobrante para liberar la segunda corola de pétalos y volver a perfilar.

6. Tallar otra corola de pétalos igualmente intercalada respecto a la anterior; eliminar el material sobrante y perfilar. Con el cuchillo de pelar, trabajar la parte superior restante dándole una forma puntiaguda.

LA COMPOSICIÓN

Hacer varias "rosas del desierto" y fijarlas con palillos a un trozo de esponja verde en forma de cono. Disponer unas hojas alrededor y con alambre recubierto de cinta adhesiva modelar un tallo alargado. Tendrá un cuerno de la abundancia.

Nenúfar

Tiempo:
3 minutos para cada flor

Dificultad:
1

¿Qué se necesita?:
zanahorias-daikon-pelador de
patatas-cuchillo de pelar-palillos-
alicates-vaciador-sacabolas

ESPAÑOL DE AMÉRICA
Nabo: daikon
Papa: patata

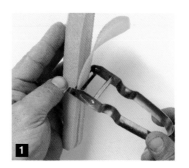

1. Cortar ocho tiras finas con un pelador de patatas.

2. Con el cuchillo de pelar, tallar un pétalo de forma alargada en la primera tira. Superponer el pétalo sobre las otras tiras y, usándolo como plantilla, hacer los otros pétalos.

3. Disponer los cuatro primeros pétalos en forma de cruz.

4. Superponer los otros cuatro pétalos entre los primeros.

5. Fijar los pétalos a la base introduciendo unos palillos en el centro del disco.

6. Cortarlos por la mitad con los alicates.

7. Extraer una bolita de un daikon con el sacabolas.

8. Colocarla en el centro de la flor fijándola en los palillos.

9. He aquí la flor terminada.

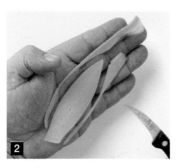

6

7

8

9

Flores campestres

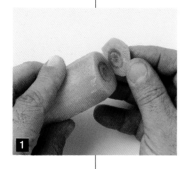

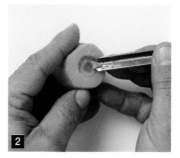

1. Cortar un disco de la zanahoria de 3 cm (1,18 pulg.) de grosor, aproximadamente.

2. Con el cuchillo de pelar, marcar en el centro un pequeño círculo de 5 mm (0,19 pulg.) de profundidad, aproximadamente y, a continuación, con el vaciador en V, empezar a tallar unos pequeños canales alrededor del círculo que formarán la parte superior de la corola de pétalos.

3. Finalizado el primer círculo, hacer un segundo círculo tallando justo detrás del anterior para liberar los pétalos.

4. En la base del talle realizado, cortar un círculo que tenga un grosor de 5 mm (0,19 pulg.), aproximadamente.

5. Liberar la corola de la flor extrayendo el material sobrante de la base.

LA COMPOSICIÓN

Estas flores tan pequeñas y delicadas pueden ir muy bien sobre una rama en esta composición de gran simplicidad.

6. En este punto, la primera corola quedará liberada.

7. Con el vaciador en V, empezar a tallar una nueva corola de pétalos, intercalados lateralmente respecto a los pétalos ya hechos.

8. Repetir la operación de limpieza eliminando el material sobrante y liberando toda la flor.

Hoja serrada

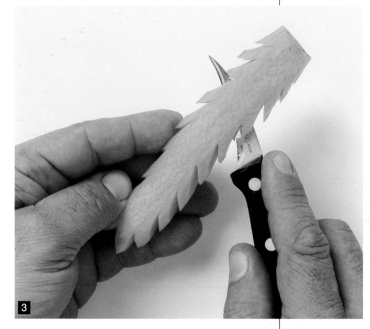

LA COMPOSICIÓN

Disponga sobre un plato las hojas de zanahoria que ha hecho junto a otros materiales naturales tales como castañas, cortezas u otros: obtendrá una composición simple y agradable.

Tiempo:

3 minutos para cada hoja

Dificultad:

1

¿Qué se necesita?:

zanahorias-cuchillo de pelar

1. Tomar una zanahoria no demasiado grande y tallarla a lo largo usando el cuchillo de pelar. Extraer el material sobrante. Así obtendremos un efecto "serrado".

2. Repetir la misma operación en el otro lado.

3. Cortar la zanahoria con el cuchillo haciendo 3 o 4 tiras (dependiendo de su tamaño) en sentido longitudinal.

4. Así quedan las hojas ya terminadas.

Una pareja de cacatúas

Tiempo:
15 minutos para cada cacatúa

Dificultad:
3

¿Qué se necesita?:
zanahorias-daikon-cuchillo
de pelar-palillos-vaciador
en V-clavos de especia

ESPAÑOL DE AMÉRICA
Nabo: daikon

LA COMPOSICIÓN

Esta composición es realmente imponente y escenográfica, con las dos cacatúas que dominan desde un alzado en el que se exhiben racimos de uva y hojas de piña. Como fondo se ha utilizado una corteza.

1. Elegir una zanahoria bastante grande; con el cuchillo de cortar, reducir el grosor de un extremo.

2. Tallar la cabeza y el cuello de la cacatúa, tal y como se muestra en la foto. A continuación, alisar bien eliminando las asperezas.

3. Tallar la silueta de las alas en el dorso con el cuchillo de pelar.

4. Vaciar hasta 1-2 cm (0,39-0,78 pulg.) de profundidad alrededor del ala eliminando el material sobrante para que resalte el perfil del ala.

5. Repetir la misma operación de entalle y vaciado para la segunda ala, situada simétricamente respecto a la primera en el otro lado de la zanahoria.

6. Ahora, tallar la silueta de la cola, definiéndola y alargándola.

7. Vaciar y dar el último toque eliminando el material sobrante.

8. Tallar una hoja de daikon y extraer un pico más bien redondeado, haciendo la parte superior del mismo más larga y

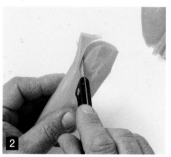

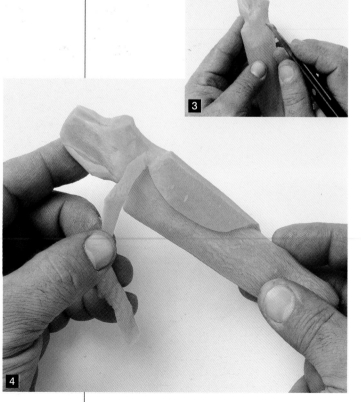

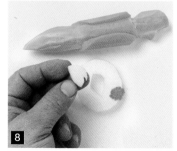

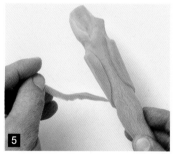

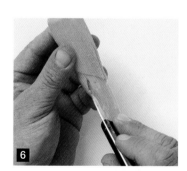

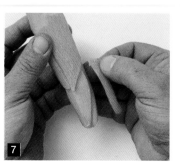

curvada que la inferior. Tallar un espacio en la cabeza del papagayo para colocar el pico.

9. Cortar una tira de daikon para hacer la cresta.

10. Adaptarla a las dimensiones de la cabeza de la cacatúa y tallar el borde exterior para que quede serrado.

11. Comprobar que las curvas de la cresta y del pico de la cacatúa concuerdan perfectamente con las de la cabeza y, a continuación, ensamblarlas con palillos. Poner dos clavos para simular los ojos.

12. Hacer las patas con un trocito de daikon y ensamblarlas al cuerpo con un palillo. Con el vaciador en V empezar a decorar las alas, haciendo pequeñas incisiones que parezcan las plumas del pájaro.

13. Proceder del mismo modo en el tórax y en la cabeza de la cacatúa.

9

10

11

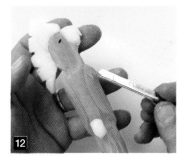
12

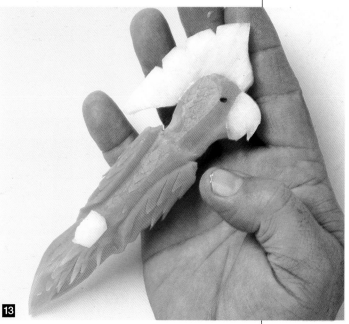
13

LA COMPOSICIÓN

Estéticamente parecida a una composición de flores, esta propuesta reúne todas las zanahorias talladas que hemos aprendido a hacer. Por su belleza, el efecto final no tiene nada que envidiar a un buen ramo de flores.

Flores blancas

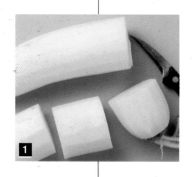

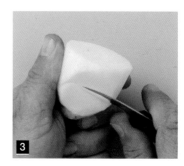

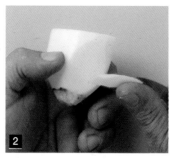

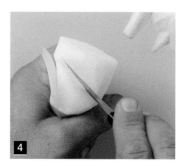

Tiempo:

5 minutos para cada flor

Dificultad:

3

¿Qué se necesita?:

daikon-cuchillo de pelar

ESPAÑOL DE AMÉRICA
Nabo: daikon

1. Dividir el daikon en trozos de 4 cm (1,57 pulg.) cada uno, aproximadamente.

2. Tomar un trozo, pelarlo y perfilarlo hasta darle una forma ligeramente cónica, con la punta redondeada.

3. Para conseguir un pétalo fino como el que requiere este diseño, usar el siguiente truco: más que incidir directamente en el pétalo, en primer lugar debe cortarse una pequeña rodaja de daikon y a continuación, paralelamente a la superficie cortada, tallar el pétalo dándole en la parte superior un grosor de 1 mm (0,039 pulg.), aproximadamente, y, para darle estabilidad, de 3 mm (0,118 pulg.), aproximadamente, en la base.

4. Tallar otro pétalo empezando la incisión desde la mitad del pétalo anterior para que éstos queden intercalados. Completar la primera corola de pétalos.

5. Perfilar el interior de los pétalos para liberarlos, eliminando el material sobrante.

6. Pulir la parte central interior de la primera corola de pétalos dándole una forma redondeada parecida a la de un capullo todavía cerrado.

7. A continuación, hacer una segunda corola de pétalos dentro de la primera procediendo de la misma manera.

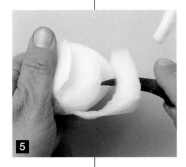

LA COMPOSICIÓN

Un ramo de pálidas flores blancas (fijadas con palillos a una esponja para arreglo floral) apoyado en un soporte alto de cristal.

Dalias

Tiempo:
5 minutos para cada flor

Dificultad:
2

¿Qué se necesita?:
daikon-cuchillo
de pelar-vaciador en V

ESPAÑOL DE AMÉRICA
Nabo: daikon

1. Cortar un trozo de daikon de 4 cm (1,57 pulg.), aproximadamente, pelarlo y perfilarlo hasta darle una forma ligeramente cónica con la base redondeada.

2. Con el vaciador en V, empezar a tallar los pétalos partiendo de la base del daikon (si el vaciador en V es fino, obtendrá muchos pétalos).

3. Completada la primera corola de pétalos, perfilar detrás de ésta para eliminar una corona del interior de los pétalos y liberarlos.

4. Repetir la misma operación haciendo una segunda corola de pétalos pero desplazándola respecto a la anterior para que ambas corolas queden intercaladas. También en este caso hay que pulir el interior de los pétalos liberándolos y eliminando el material sobrante.

5. Seguir tallando otras corolas de pétalos hasta que no quede espacio. Cortar la punta para terminar.

Papagayo

ESPAÑOL DE AMÉRICA
Nabo: daikon

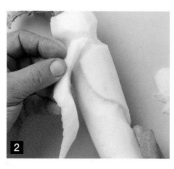

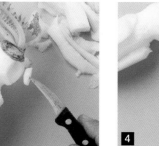

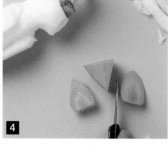

Tiempo:

10 minutos para cada daikon

Dificultad:

3

¿Qué se necesita?:

daikon-zanahorias-clavos
de especia-cuchillo
de cortar-vaciador
en V-alicates-palillos

LA COMPOSICIÓN

Este tema se presta para ser colocado en una composición realmente suntuosa en la que, sobre una base de hojitas verdes, podrá situar algunas flores talladas a su gusto.

1. Tomar un daikon, pelarlo y perfilarlo dejando intacta la mata verde de la cima. En este caso, a diferencia de las cacatúas realizadas con las zanahorias, en lugar de cortar las crestas aparte nos serviremos de esta mata para el mismo propósito. Empezar a tallar la cabeza y el cuerpo del papagayo.

2. Incidir las alas y la cola. En primer lugar, tallar las siluetas de las alas en el dorso. Pulir alrededor de las alas eliminando el material sobrante e incidir a una profundidad de 1/2 cm (0,19 pulg.), aproximadamente, para resaltar el perfil del ala. A continuación, tallar la silueta de la cola. Pulir y dar un último toque.

3. Tallar una cavidad en la cabeza del papagayo para colocar el pico.

4. Extraer un triángulo de un trozo de zanahoria: será el pico.

5. Tallar el pico de manera que la parte superior sea más larga y arqueada que la inferior.

6. Tallar las patitas sobre una bolita de zanahoria utilizando el cuchillo de pelar. Observar la foto con el trabajo terminado para copiar la forma.

7. Colocar el pico y las patitas usando los palillos. Con el vaciador en V hacer dos pequeñas incisiones para los ojos.

8. Para hacer los ojos utilizar dos trocitos de zanahoria y dos clavos de especia que cortaremos con los alicates.

9. Finalmente, con el vaciador en V, tallar el cuerpo y las alas del papagayo para hacer el plumaje.

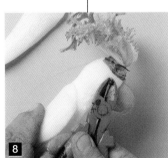

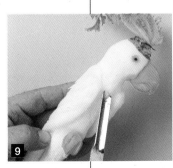

Hojas blancas

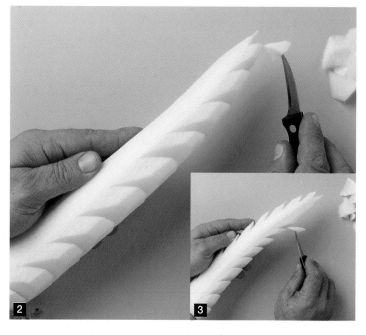

LA COMPOSICIÓN

Una ambientación simple y esencial hecha de bambú y hojas de helecho acogerá las hojas. Colocar unas piedras en la base para completar esta composición que recuerda a un fondo marino.

Tiempo:

3 minutos para cada daikon

Dificultad:

1

¿Qué se necesita?

daikon-cuchillo de pelar

1. Tomar un daikon, pelarlo y perfilarlo con cuidado.

2. Tallarlo a lo largo de todo un lado con el cuchillo de pelar, practicando unas incisiones que le darán un borde serrado. Eliminar el material sobrante.

3. Proceder del mismo modo por el otro lado.

4. Terminada esta operación, cortarlo a lo largo extrayendo 4 tiras.

5. Una vez finalizada la operación, las tiras cortadas serán parecidas a las hojas.

ESPAÑOL DE AMÉRICA
Nabo: daikon

Flores de corola simple

1. Tomar un calabacín y modelar el extremo de la parte de la raíz dándole una forma puntiaguda.

2. A continuación, cortar una sección de 4-5 cm (1,57-5 pulg.), aproximadamente, de este extremo.

3. Con el vaciador en V, comenzar a tallar alrededor empezando, aproximadamente, por la mitad del calabacín.

4. Tallar profundamente para lograr separar la corola del resto con una simple torsión.

5. Con un sacabolas extraer una bolita de una zanahoria.

6. Clavar un palillo en la bolita.

7. Con los alicates, cortar el palillo y fijar la bolita en el centro de la flor resultante.

8. He aquí la flor terminada.

LA COMPOSICIÓN

Varias flores situadas sobre
ramitas verdes decoran la base
de una gran vela blanca de forma
cilíndrica en este centro de mesa
sencillo y fresco.

Capullos

Tiempo:

5 minutos para cada flor

Dificultad:

2

¿Qué se necesita?:

calabacines-cuchillo

de pelar-vaciador en V

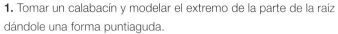

1. Tomar un calabacín y modelar el extremo de la parte de la raíz dándole una forma puntiaguda.

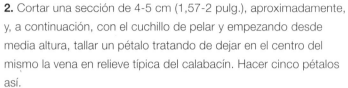

2. Cortar una sección de 4-5 cm (1,57-2 pulg.), aproximadamente, y, a continuación, con el cuchillo de pelar y empezando desde media altura, tallar un pétalo tratando de dejar en el centro del mismo la vena en relieve típica del calabacín. Hacer cinco pétalos así.

3. Tallar una corona de pocos milímetros de grosor de material sobrante dentro de los pétalos.

4. Extraer el material tallado para liberar los pétalos.

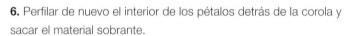

5. Con el vaciador en V, tallar una nueva corola de pétalos dentro de la primera e intercalada respecto de ésta.

6. Perfilar de nuevo el interior de los pétalos detrás de la corola y sacar el material sobrante.

7. Con el mismo vaciador en V, hacer una nueva corola de pétalos en el interior intercalados lateralmente respecto de los anteriores.

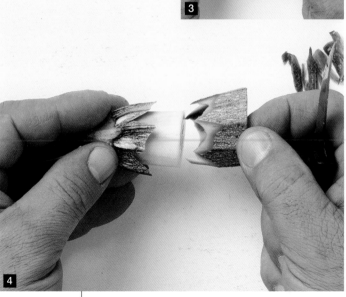

8. Con el vaciador en V, incidir en profundidad la parte restante en el centro de la flor.

9. Como última operación, sacar la parte sobrante del centro de la flor: el capullo está listo.

Flores redondeadas

Tiempo:

3 minutos para cada calabacín

Dificultad:

1

¿Qué se necesita?:

calabacines-cuchillo de pelar

1. Tomar un calabacín y modelar el extremo de la parte de la raíz dándole una forma puntiaguda. A continuación, cortar una sección de 4-5 cm (1,57-2 pulg.), aproximadamente. Con el cuchillo de pelar empezar a tallar un primer pétalo.

2. Seguir tallando otros pétalos junto al primero. En total deberán ser cinco. Perfilar alrededor de la corola para liberar los pétalos y eliminar el material sobrante.

3. Trabajar con el cuchillo de pelar perfilando el interior del calabacín hasta darle una forma redondeada.

LA COMPOSICIÓN

Un elegante soporte de hierro forjado, hojas de lechuga sobre las que posar las flores de calabacín y, como complemento, hojas verdes con un perfil muy marcado: he aquí los elementos de esta delicada composición.

ESPAÑOL DE AMÉRICA
Nabo: daikon
Calabacita: calabacín

Rositas blancas

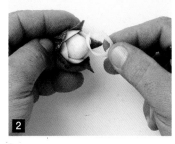

Tiempo:

4 minutos para cada calabacín

Dificultad:

2

¿Qué se necesita?

calabacines-cuchillo de cortar

---

1. En primer lugar hay que hacer una flor base como la detallada en el diseño anterior; a continuación, dentro de la primera corola de pétalos, tallar una segunda corola de pétalos intercalados respecto a los anteriores y con el borde redondeado.

2. Terminada la corola, con la punta del cuchillo de pelar y con la hoja a 90° respecto a la superficie a tallar, empezar a perfilar detrás de la propia corola para liberar los pétalos y resaltarlos. Eliminar el material sobrante.

3. Con el mismo procedimiento, hacer otras corolas de pétalos cada vez más interiores hasta ocupar todo el espacio disponible.

LA COMPOSICIÓN

Una base de daikon tallada de forma alargada y enrollada en hojas verdes: sobre ella, mediante palillos, fijar las rositas. Obtendrá una composición realmente original.

ESPAÑOL DE AMÉRICA
Nabo: daikon
Calabacita: calabacín

Bordado calado

Tiempo:

6 minutos para cada calabacín

Dificultad:

3

¿Qué se necesita?:

calabacines-cuchillo
de pelar-vaciador en V

ESPAÑOL DE AMÉRICA

Calabacita: calabacín

LA COMPOSICIÓN

Inspiración y fantasía caracterizan esta composición que utiliza como base nada menos que una rodaja de calabaza de Castilla. Dos largas hojas la completan dándole impulso hacia arriba.

1. Tomar un calabacín y cortar un trozo de la parte redondeada de 5 cm (2 pulg.), aproximadamente.

2. Con el cuchillo de pelar cortar un círculo en la parte de arriba de unos 5 mm (0,19 pulg.) de profundidad.

3. Retirar la parte sobrante.

4. Con el vaciador en V, empezar a incidir alrededor de la hendidura recién creada.

5. Incidir alrededor hasta obtener una forma de estrella con varias puntas al borde del agujero.

6. Empezar ahora la segunda circunvalación incidiendo con el vaciador en V cerca de la primera y entre los rayos de la estrella, para obtener un pequeño agujero en forma de rombo; extraer el material sobrante que deberá tener la forma de un pequeño pétalo.

7. Manteniendo el vaciador en V a 45°, hacer una incisión detrás de cada rombo para crear un borde.

8. Repetir la operación haciendo una nueva fila de rombos intercalados respecto a la primera.

9. A continuación, proceder de la misma manera para las circunvalaciones posteriores hasta decorar toda la superficie del calabacín. Terminar liberando los pétalos de la última fila y sacando el material sobrante.

Hojas verdes talladas

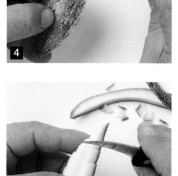

Tiempo:

3 minutos para cada hoja

Dificultad:

1

¿Qué se necesita?:

calabacines-cuchillo
de pelar-vaciador en V

1. Con el cuchillo de pelar cortar una tira longitudinal del calabacín.

2. Así obtendremos una silueta que, de entrada, ya recuerda la de una hoja.

3. Perfeccionar la forma estilizándola y haciéndola lo más parecida posible a una hoja.

4. Con el cuchillo de pelar, tallar delicadamente un borde de la hoja para obtener un efecto "serrado".

5. Girarla y proceder del mismo modo por el otro lado.

6. Con el vaciador en V, tallar el dorso de la hoja creando una gruesa vena central.

7. A partir de la vena central, hacer otras pequeñas venas ramificadas lateralmente como en las hojas auténticas.

8. He aquí la hoja terminada.

ESPAÑOL DE AMÉRICA
Calabacita: calabacín

LA COMPOSICIÓN

Utilice estas hojas talladas en lugar de las hojas verdaderas en una composición de aire otoñal colocada sobre un simple soporte de cristal.

Hojas jaspeadas

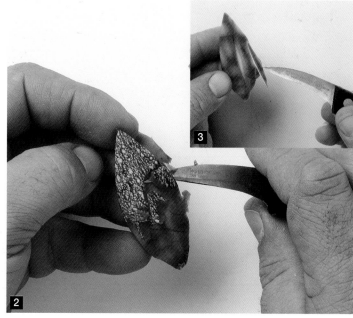

Tiempo:

3 minutos para cada hoja

Dificultad:

1

¿Qué se necesita?:

calabacines-cuchillo de pelar

1. Con la punta del cuchillo de pelar hacer una incisión profunda en forma de hoja en la parte lateral de un calabacín y extraer el trozo cortado.

2. Pelar superficialmente la hoja resultante del calabacín tratando de no eliminar la parte verde situada justo debajo de la piel.

3. A continuación, hacer las venas de la hoja: en primer lugar, hacer una incisión con la punta del cuchillo de pelar a lo largo del eje central para crear la vena principal.

4. Después, a partir de la vena central, practicar una serie de pequeñas incisiones laterales para las ramificaciones de las venas.

5. He aquí las hojas una vez terminadas.

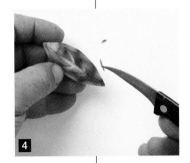

4

5

LA COMPOSICIÓN

Sencilla y minimalista, esta composición está hecha con un arbolito cortado en un daikon al que se han unido con palillos las hojas talladas acompañadas de unas bayas o aceitunas.

He aquí reunidos en una sola
composición de singular belleza
todos los entalles que hemos
aprendido a hacer con los
calabacines. Deben fijarse con
palillos a una bola de esponja
para arreglo floral y colocar la
composición sobre un lecho de
hojas de col morada.

Un ramo de calas

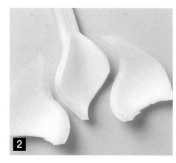

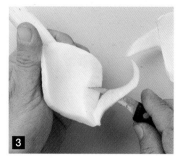

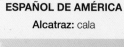

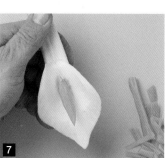

Tiempo:

5 minutos para cada cala

Dificultad:

2

¿Qué se necesita?:

hinojo-zanahorias-cuchillo
de pelar-vaciador en V

1. Separar una hoja externa del hinojo.

2. Cortarla con el cuchillo de pelar dándole la forma de una cala.

3. Adelgazar los bordes de la cala para que sea más auténtica.

4. Con el vaciador en V, hacer una incisión profunda de 1,5 cm (0,59 pulg.), aproximadamente, en el centro de la cala.

5. Perfilar el hueco haciéndolo estrecho y alargado.

6. De una zanahoria bastante fina extraer el pistilo de la flor, que deberá tener una longitud de unos 4 cm (1,57 pulg.). Perfilarlo para adaptarlo al agujero. Ensamblar el pistilo y la corona encastrando el primero en la segunda.

7. He aquí la flor terminada.

LA COMPOSICIÓN

Tallar varias calas y unirlas en un ramo junto con algunas hojas. Envolver los tallos con cinta verde para arreglo floral.

Flor de pimiento

Tiempo:

5 minutos para cada flor

Dificultad:

1

¿Qué se necesita?:

pimientos rojos-zanahorias-
cuchillo de pelar-palillos

1. Tomar un pimiento rojo y cortar la silueta de un corazón.

2. Separarla del pimiento.

3. Cortar un pequeña rodaja de una zanahoria de 1 cm (0,39 pulg.) de grosor, aproximadamente, que usaremos como base para fijar el pistilo; para hacer el pistilo, cortar un pedazo fino de unos 4 cm (1,57 pulg.) de otro trozo de zanahoria.

4. Ahora sólo queda ensamblar las partes. Introducir un palillo en el disco de zanahoria traspasándolo completamente. Clavar los palillos por detrás del pimiento para que la rodaja de zanahoria permanezca oculta.

5. Dejar que sobresalga la punta del palillo por delante de la flor.

6. A continuación, clavar el pistilo de zanahoria en el palillo. La flor está lista.

LA COMPOSICIÓN

La mejor composición para estas flores de pimiento es disponerlas en una cesta junto a varias hojas; el conjunto no tiene nada que envidiar a una cesta de flores.

Melones, calabazas y sandías

Melones

Calabazas

Sandías

Cesta de frutas del bosque

1

2

3

4

5

Tiempo:

30 minutos

Dificultad:

2

¿Qué se necesita?:

melón-uvas-grosella-moras-
fresas-frambuesas-cuchillo
puntilla-palillo para pincho
de bambú-rotulador-cuchara

1. En un palillo de bambú, hacer dos marcas con un rotulador que servirán como punto de referencia para hacer unos arcos del mismo tamaño sobre el melón.

2. Uniendo los puntos, dibujar con el rotulador una serie de arcos alrededor de la circunferencia del melón.

3. Con el cuchillo puntilla, hacer una incisión en el melón siguiendo el motivo decorativo. Separar las dos partes del melón y extraerles las semillas con una cuchara.

4. Perfilar con el cuchillo puntilla los arcos de ambas mitades del melón.

5. Fijar la parte destinada a hacer de tapa con la otra mitad usando un palillo para pincho de bambú. A continuación, rellenar la cesta con fruta. Lógicamente, será mejor utilizar frutas de pequeño tamaño como las uvas, las grosellas, las moras o las frambuesas.

LA COMPOSICIÓN

Utilice el melón tallado como contenedor para llenarlo, por ejemplo, con frutas del bosque. Llévelo a la mesa para una comida estival: quedará muy bien ante sus invitados.

El cisne

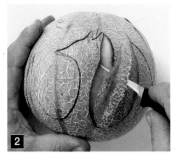

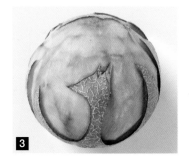

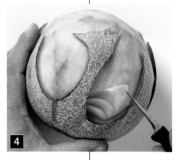

Tiempo:
20 minutos

Dificultad:
2

¿Qué se necesita?:
melón-clavos de especia-
cuchillo puntilla-rotulador

1. Con un rotulador, dibujar sobre el melón la silueta del cisne tal y como se observa en la fotografía; a continuación, con un cuchillo puntilla empezar a tallar siguiendo el perfil del dibujo.

2. En la parte exterior del dibujo del cisne, extraer una capa de corteza tratando de no eliminar completamente la zona verde que está situada justo debajo, ya que la podremos aprovechar para lograr un agradable efecto cromático.

3. Cuando terminemos de sacar la capa superficial de piel del melón, aparecerá el dibujo completo.

4. A continuación, proseguir con la segunda fase de la decoración. Con el cuchillo puntilla, hacer una incisión en el primer arco situado en la base del cuello del cisne, cerca de la juntura del ala. Detrás de cada arco, tallar una cuña de unos 3 mm (0,118 pulg.) de grosor y sacarla; así liberaremos los arcos tallados.

5. Seguir tallando de la misma forma por el otro lado hasta decorar todo el melón. Finalmente, introducir un clavo para hacer el ojo.

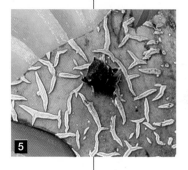

LA COMPOSICIÓN
Es tan bonito que es una lástima comérselo: lleve a la mesa este precioso cisne tallado y degústelo sobre todo con los ojos.

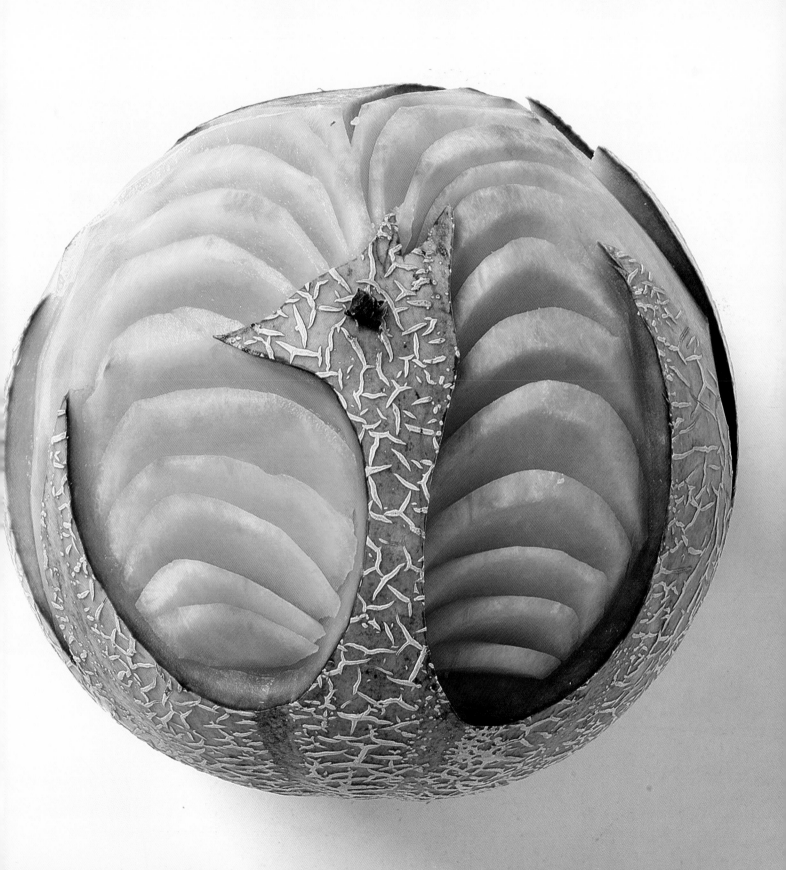

Cesta con bolitas de melón

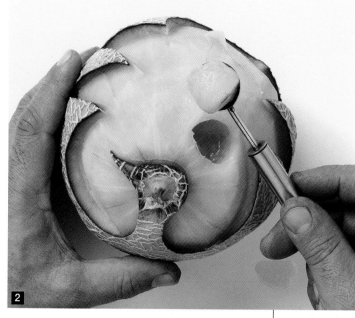

Tiempo:

30 minutos

Dificultad:

2

¿Qué se necesita?:

melón-cuchillo
puntilla-sacabolas-rotulador

1. Dibujar con el rotulador la silueta estilizada de un cisne sobre el melón, empezando por la cabeza y haciendo que el ojo del cisne coincida con el pecíolo del melón. A continuación, empezar a cortar con el cuchillo puntilla.

2. Penetrar en profundidad la piel a lo largo de toda la silueta del cisne extrayendo la parte verde que está justo debajo. Finalizada esta operación, sacar la pulpa del melón usando el sacabolas para obtener muchas bolas de melón. Finalmente, colocar todas las bolas de melón dentro del contenedor en forma de cisne. Obviamente, puede utilizar esta cesta para poner otro tipo de fruta.

LA COMPOSICIÓN

Una idea sencilla pero de efecto seguro para alegrar una mesa de verano. La cesta llena de bolitas de melón o de macedonia o, si lo prefiere, de frutas del bosque, dará una nota de elegancia que todos apreciarán.

Centro de mesa estival

ESPAÑOL DE AMÉRICA
Nabo: daikon
Calabacita: calabacín

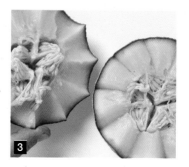

Tiempo:
40 minutos

Dificultad:
2

¿Qué se necesita?:
melón-calabacín-cuchillo puntilla-
vaciador-cuchara-vela-rotulador-
palillo para pincho de bambú-
palillos-alicates

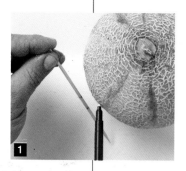

LA COMPOSICIÓN
Fije, con los palillos y alrededor de
la base de la vela, rábanos,
calabacines, zanahorias y daikon
finamente tallados.

1. Hacer dos marcas en un palillo para pincho de bambú como referencia para las dimensiones de los arcos.

2. Aproximadamente en la parte media del melón, dibujar una serie de arcos uniendo los puntos anteriormente marcados.

3. Con un cuchillo puntilla, incidir en el melón siguiendo el motivo decorativo y, a continuación, separar ambas mitades.

4. Eliminar las semillas con una cuchara. Tomar un calabacín y cortar un trozo del extremo redondeado de 4 cm (1,57 pulg.), aproximadamente; hacer un agujero profundo en su interior de 2 cm (0,78 pulg.), suficientemente largo para contener la base de la vela.

5. Insertar la vela en el trozo de calabacín.

6. Empezar la fase de ensamblaje de los distintos elementos. Atravesar un palillo para pincho de bambú por la base del melón que traspase el calabacín y la vela.

7. Dejar que el palillo sobresalga por el otro lado del melón y cortar los extremos con los alicates. Con otro palillo, fijar la tapa del melón a su base. Su centro de mesa está listo.

LA COMPOSICIÓN

Cuatro ideas diferentes para dar un toque "especial" a una mesa estival, todas ellas muestra de buen gusto y simplicidad.

Pez

 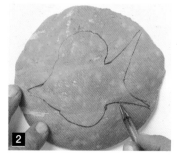  

Tiempo:

10 minutos para cada pez

Dificultad:

1

¿Qué se necesita?:

calabaza de Castilla-clavos
de especia-cuchillo
de pelar-vaciador en V-
bolígrafo-alicates-palillos

1. Tomar una calabaza y cortar una rodaja que utilizaremos para hacer un pez.

2. Hacer el dibujo del pez con un bolígrafo.

3. Tallar la silueta con el cuchillo de pelar siguiendo las líneas trazadas con el bolígrafo.

4. Eliminar superficialmente y no en su totalidad la piel, dejándola visible en algunos puntos.

5. Decorar la parte superior, la inferior y la cola del pez tallando unos motivos ondulados con el vaciador en V; no hacer de momento ninguna incisión en la zona romboidal de la boca y del costado del pez.

6. Con el cuchillo de pelar, practicar dos incisiones en la zona de la boca con un ángulo de 60°, aproximadamente, de arriba hacia abajo en primer lugar y, después, de abajo hacia arriba, y extraer un pequeño trozo de calabaza: así obtendremos la boca del pez.
A continuación, tallar un círculo para hacer el ojo.

7. Completar el ojo insertando un clavo de especia en el centro del círculo tallado y acortándolo con los alicates. Tallar una líneas verticales en la zona romboidal.

8. Aparte, tallar las aletas del pez de un trozo de calabaza con piel con la ayuda del cuchillo de pelar.

9. Finalmente, colocar las aletas fijándolas con palillos e insertándolas en un espacio previamente vaciado.

Pez (variante)

Tiempo:

10 minutos para cada pez

Dificultad:

1

¿Qué se necesita?:

calabaza de Castilla-clavos de
especia-cuchillo de pelar-vaciador
en V-bolígrafo-alicates-palillos

ESPAÑOL DE AMÉRICA
Nabo: daikon

1. La técnica utilizada y los pasos necesarios para hacer este segundo pez son los mismos descritos en el diseño anterior. La única diferencia es la forma distinta del pez. Tomar una calabaza y cortar una rodaja. Trazar encima la silueta del pez con un bolígrafo.

2. Tallar la silueta con el cuchillo de pelar siguiendo las líneas trazadas con el bolígrafo.

3. Eliminar superficialmente y no en su totalidad la piel, dejándola visible en algunos puntos. Tallar más profundamente para crear una separación entre el cuerpo, la cabeza y las aletas del pez tal y como puede observarse en la fotografía. Hacer un pequeño agujero para el ojo.

4. Tallando unos motivos ondulados con el vaciador en V, decorar la parte superior, la inferior y la cola del pez. Insertar un clavo de especia en el pequeño agujero practicado para el ojo y, con el vaciador en V, marcar las escamas en el costado del pez.

5. Aparte, de un trozo de calabaza con piel, tallar las aletas del pez con la ayuda del cuchillo de pelar.

6. Hacer una incisión profunda en la que se fijarán las aletas del pez.

7. Eliminar la parte sobrante haciendo un surco triangular.

8. Finalmente, colocar las aletas fijándolas con palillos e insertándolas en el espacio previamente tallado.

LA COMPOSICIÓN

Peces que parecen flotar
entre cañas de bambú, hojas
verdes y hojas blancas talladas
en el daikon para una
composición alegre e ingeniosa
de inspiración marina.

La calabaza de Halloween

Tiempo:

30 minutos

Dificultad:

2

¿Qué se necesita?:

calabaza de Castilla-
cuchillo puntilla-
vaciador en V

1. Hacer una incisión profunda con el cuchillo puntilla en la parte superior de la calabaza y destaparla. Eliminar las semillas y otros materiales desechables de su interior.

2. Tallar un círculo en el centro de la calabaza con el cuchillo puntilla.

3. Con el vaciador en V, hacer unas rayos alrededor del círculo.

4. También con el vaciador, hacer unas incisiones alineadas con las anteriores en el interior del círculo.

5. Con la ayuda del cuchillo puntilla, extraer la parte que acabamos de tallar de la piel.

6. Tallar una serie de hojas alrededor del centro, primero superficialmente y, a continuación, en profundidad y sacando el material sobrante.

7. Completar la serie de hojas disponiéndolas como rayos de sol alrededor del centro.

8. Resaltar los bordes de las hojas practicando una serie de incisiones serradas con el vaciador en V. Si quiere, puede tallar otros motivos decorativos que le gusten más o usar otros ejemplos de estas mismas páginas.

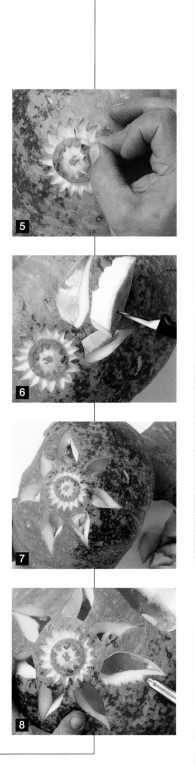

LA CALABAZA
DE HALLOWEEN

La de Halloween es una tradición
que no pertenece a la cultura
latina, pero en los últimos años ha
tenido una difusión tan amplia
entre nosotros que la noche del
31 de octubre es ya una fecha
esperada por grandes y
pequeños. En estas páginas
encontrará una propuesta de
calabaza-linterna decorada con
motivos alternativos respecto a las
más tradicionales que esperamos
que sea de su gusto.

Calabaza
tallada en estrella

Tiempo:

30 minutos

Dificultad:

2

¿Qué se necesita?:

calabaza de Castilla-cuchillo
puntilla-vaciador en V-rotulador

1. Dibujar con un rotulador unos pétalos dispuestos en aureola alrededor del centro de la calabaza y empezar a tallarlos con el cuchillo puntilla.

2. Finalizada la primera corola, extraer una capa delgada de piel entre uno y otro pétalo para liberar los pétalos tallados. La zona entre los pétalos vaciada así dará tridimensionalidad al entalle.

3. Dibujar con el rotulador otra flor de un tamaño mayor, disponiendo los pétalos de manera intercalada respecto a los tallados anteriormente.

4. Incidir nuevamente entre los pétalos eliminando como antes una fina capa de piel. Terminada la segunda corona, proceder de la misma manera para hacer una tercera.

5. Con las mismas técnicas, hacer otras dos corolas concéntricas, de dimensiones cada vez mayores. Tras finalizar la última corona, decorar el borde exterior haciendo unos surcos paralelos con el vaciador en V.

6. He aquí la calabaza tallada.

Calabaza con hojas serradas

Tiempo:

30 minutos

Dificultad:

3

¿Qué se necesita?:

calabaza de Castilla-
cuchillo puntilla

1. Hacer una incisión en forma de círculo alrededor del centro de la parte superior de la calabaza.

2. Tallar con un cuchillo puntilla los primeros pétalos alrededor del centro y extraer una capa fina de piel; a continuación, perfilar los pétalos dándoles una forma ligeramente apuntada.

3. Proseguir hasta completar toda la corola.

4. Una vez terminada la primera corola, tallar la punta de cada pétalo para darle una forma puntiaguda; a continuación, extraer una capa fina de piel entre uno y otro pétalo para liberarlos. La zona entre los pétalos, retocada de esta manera, dará tridimensionalidad al entalle.

5. Una vez eliminada la piel entre uno y otro pétalo, empezar a tallar una nueva corola. Para cada pétalo habrá que sacar un trozo formado por mitad de pulpa y mitad de piel, como en la foto.

6. A continuación, tallar las puntas alargadas de los pétalos.

7. Hacer la segunda corola y eliminar la piel situada entre uno y otro pétalo.

8. Realizar la tercera corola del mismo modo; a continuación, decorar los pétalos de las flores practicando unas pequeñas incisiones en el borde para que sean serrados.

Calabaza tallada en flor

Tiempo:

30 minutos

Dificultad:

3

¿Qué se necesita?:

calabaza de Castilla-cuchillo puntilla-vaciador en V

1. Con el cuchillo puntilla, hacer una incisión en forma de círculo en el centro de la calabaza. A continuación, sacar la piel del contorno para que quede en relieve.

2. Con el cuchillo puntilla, tallar una primera corola de pétalos de forma redondeada.

3. Extraer la piel alrededor de la primera corola de pétalos para liberarlos pero dejando un pequeño borde naranja alrededor de cada pétalo. Proceder de la misma manera con otra corola.

4. Seguir realizando una serie de corolas concéntricas con los pétalos intercalados y aumentando poco a poco el tamaño de la flor.

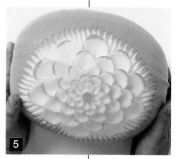

5. Para terminar, hacer unas incisiones con el vaciador en V alrededor de la flor creando un motivo decorativo en aureola.

Calabaza con flor de pétalos ondulados

Tiempo:

30 minutos

Dificultad:

3

¿Qué se necesita?:

calabaza de Castilla-cuchillo puntilla-vaciador con hoja acanalada

1. Tallar un círculo en el centro de la calabaza, alrededor del pecíolo. Sacar la piel del contorno para que quede en relieve.

2. Con un vaciador de hoja acanalada, tallar unas corolas de pétalos concéntricas e intercaladas, dejando visible un borde naranja en cada pétalo y eliminando cada vez y con el vaciador la piel situada entre uno y otro pétalo para liberarlos.

3. Proseguir de la misma manera hasta tallar 4 o 5 corolas de pétalos cada vez mayores.

4. Después de terminar el entalle de las corolas, que cubrirán prácticamente toda la superficie de la calabaza, eliminar una corona exterior de piel dejando libres y bien visibles los pétalos.

Sandía con flores en estrella

Tiempo:

45 minutos

Dificultad:

3

¿Qué se necesita?:

sandía-cuchillo
de sierra-cuchillo puntilla

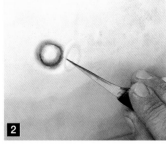

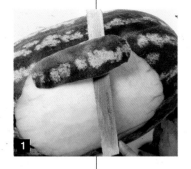

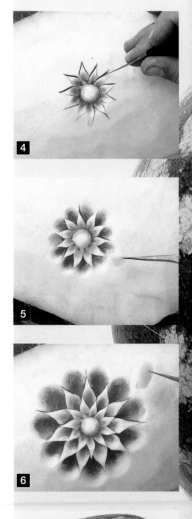

1. Con un cuchillo de sierra, eliminar una amplia capa de piel de la superficie de la sandía sin extraer la parte blanca situada justo debajo de la misma.

2. Con el cuchillo puntilla, tallar un anillo en el centro de la zona pelada hasta alcanzar la pulpa roja de la fruta.

3. Con el cuchillo puntilla, tallar la primera corola de pétalos redondeados.

4. Tallar ahora el diseño definitivo de los pétalos de la primera corola dando a cada pétalo una forma puntiaguda.

5. Eliminar la piel entre uno y otro pétalo vaciando en profundidad hasta alcanzar la pulpa roja de la fruta. El juego cromático obtenido de la alternancia de blanco y rojo en los pétalos constituye un elemento decorativo impactante.

6. Proseguir de la misma manera en la siguiente corola.

7. Seguir tallando corolas concéntricas de pétalos intercalados en toda la superficie pelada. A continuación, perfilar el borde de la piel tallándolo de manera que la superficie quede ondulada.

Sandía con flores de pétalos alargados

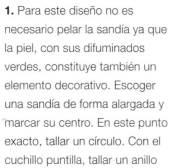

Tiempo:
45 minutos

Dificultad:
3

¿Qué se necesita?:
sandía-cuchillo
puntilla-vaciador en V

1. Para este diseño no es necesario pelar la sandía ya que la piel, con sus difuminados verdes, constituye también un elemento decorativo. Escoger una sandía de forma alargada y marcar su centro. En este punto exacto, tallar un círculo. Con el cuchillo puntilla, tallar un anillo alrededor de este círculo hasta alcanzar la pulpa roja de la fruta: servirá para dar relieve al círculo central.

2. Tallar la primera corola de pétalos redondeados alrededor del centro. Entallar el dibujo definitivo de los pétalos dándoles una forma puntiaguda; a continuación, eliminar la piel situada entre uno y otro pétalo para liberarlos.

3. Proseguir de la misma manera con las sucesivas corolas, aumentando cada vez las dimensiones de los pétalos. Cada nueva corola debe ir intercalada con la anterior, y la punta de los pétalos debe terminar en la parte en la que todavía hay la piel verde de la sandía. Al terminar la última corola, perfilar todo el contorno de la flor para liberar los pétalos.

4. Finalmente, con el vaciador en V, tallar el borde de la piel detrás de la última corola de pétalos para crear un motivo decorativo ondulado.

Sandía con flores de pétalos ondulados

Tiempo:

45 minutos

Dificultad:

3

¿Qué se necesita?:

sandía-cuchillo puntilla

1. Escoger una sandía de forma alargada y marcar su centro. En este punto exacto, tallar un círculo. Con el cuchillo puntilla, tallar un anillo alrededor de este círculo hasta alcanzar la pulpa roja de la fruta: servirá para dar relieve al círculo central.

2. Tallar una primera corola de pétalos ondulados. Extraer el material situado detrás de la primera corola para liberar los pétalos; al hacer esto, mover el cuchillo puntilla para realizar pétalos ondulados. Tallar una segunda corola detrás de la primera.

3. Proseguir de la misma manera al hacer las sucesivas corolas, que deberán tener pétalos cada vez más grandes, hasta tallar toda la superficie disponible en el lado escogido de la sandía. Finalmente, perfilar el borde más exterior haciéndolo ondulado como los pétalos.

Sandía con pétalos en corazón

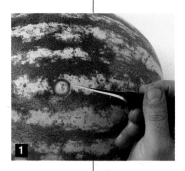

Tiempo:

45 minutos

Dificultad:

3

¿Qué se necesita?:

sandía-cuchillo puntilla

1. Tomar una sandía de forma redondeada y marcar su centro. En este punto exacto, tallar un círculo. Con el cuchillo puntilla, tallar un anillo alrededor de este círculo hasta alcanzar la pulpa roja de la fruta: servirá para dar relieve al círculo central.

2. Tallar la primera corola de pétalos empuñando el cuchillo a 90° respecto a la superficie de la sandía y la mesa de trabajo: así lograremos hacer una incisión más profunda. Así pues, hundir la hoja aproximadamente 1/2 cm (0,19 pulg.) hasta alcanzar la pulpa roja de la fruta, haciendo una forma como de estrella. Eliminar el material sobrante para resaltar los pétalos.

3. Finalizada la primera corola, hacer una incisión profunda entre uno y otro pétalo eliminando la piel y la pulpa. A continuación, tallar una segunda corola intercalando los pétalos respecto de las anteriores. Al finalizar la segunda corola, usando la misma técnica, hacer otras corolas más exteriores respecto a las anteriores, aumentando progresivamente el tamaño de los pétalos. Proseguir hasta tallar todo el lado de la sandía. Finalizar retocando el borde de la piel y dándole un perfil ondulado.

Cuadros
y arcimboldos

Cuadros

Arcimboldos

Cómo preparar una base
para cuadros

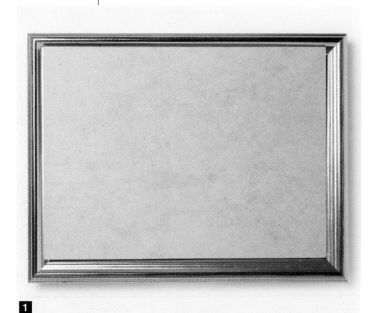

Para una ocasión especial, le aconsejamos que haga un auténtico cuadro sobre el que aplicar las verduras que ha tallado. Es realmente una composición muy impresionante que dejará boquiabiertos a sus invitados. Un único inconveniente: por su naturaleza, dura poco tiempo... como las cosas más bellas. A continuación, le enseñamos, en primer lugar, a preparar la base para cuadros que después acogerá su composición.

1. Escoja un marco que le guste de unas dimensiones adecuadas para la decoración que quiera hacer. En este caso, hemos utilizado un marco de 50 x 70 cm (13,78 x 19,68 pulg.). Eliminar el cristal.

2. Retirar el fondo de macocel que habitualmente acompaña los marcos.

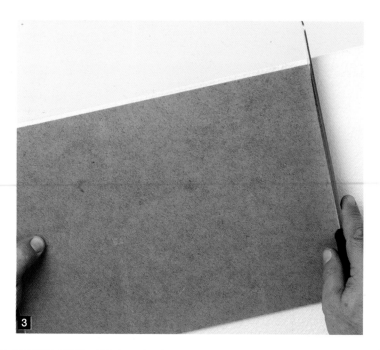

3. Apoyar el fondo de macocel sobre una hoja de poliuretano y preparar con ésta una base de las mismas dimensiones que el soporte de macocel. La base de poliuretano constituirá el fondo del cuadro y trabajaremos sobre ella.

4. Girar el marco del revés. En los lados más largos, fijar con dos tornillos dos trocitos de madera cuyo grosor debe corresponderse con el del poliuretano y la tabla de macocel juntos. Sobre ambos grosores fijar dos alitas también de madera de manera que puedan desplazarse para poder meter y sacar la base.

5. Colocar la base de poliuretano.

6. Cubrirla con el fondo de macocel y fijarlo todo cerrando las alitas. Verifique que todo esté correcto y que se haya calculado bien el grosor de las piezas. Su base está lista. Con ella puede realizar todos los cuadros que se proponga.

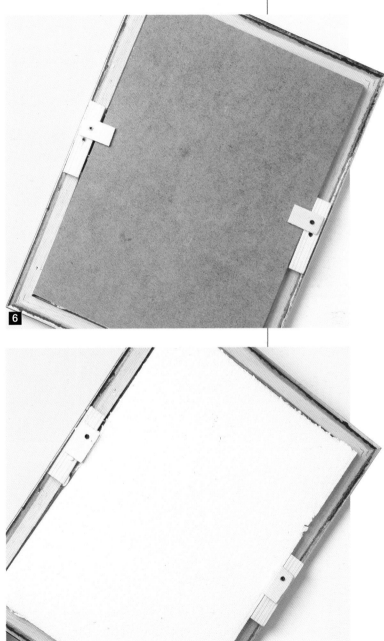

Composición mixta

1. Preparar una base de poliuretano siguiendo las indicaciones de las páginas anteriores y recubrirla por un lado con cinta adhesiva por ambas caras.

2. Empezar a colocar unas hojas bastante grandes por el lado recubierto de cinta: serán el fondo de su composición. Presionar bien para que queden fijadas. Recortar las puntas de las hojas que sobresalgan de la superficie de la base de poliuretano.

3. Proseguir así hasta cubrir toda la superficie de poliuretano; a continuación, poner esta base dentro del marco con las hojas vueltas hacia el exterior colocando detrás la hoja de macocel y cerrar girando las alas de madera. Su base de hojas está lista.

4. Tomar unos palillos, unos palillos para pincho y unos alicates.

5. Tallar algunas flores y hojas usando rábanos, zanahorias, daikon, calabacines y dejándolo llevar por su gusto e imaginación. Si quiere reproducir exactamente los temas que ve representados en esta composición, los encontrará todos explicados paso a paso en las respectivas páginas. Ahora ensamble los distintos elementos de la composición. En primer lugar, coloque en diagonal la corteza fijándola con los palillos: será el ramo sobre el que apoyaremos las flores. Tome los palillos para pincho y clave la punta en la flor o en las hojas talladas. Recorte el pincho por la mitad usando los alicates y, a continuación, tras situarlos en la base de poliuretano, presiónelos con fuerza para fijarlos sólidamente en el poliuretano.

Éste es el aspecto de su
cuadro una vez terminado.

Cuadro de inspiración marina

Tiempo:

2 horas

Dificultad:

3

¿Qué se necesita?:

marco-poliuretano-cinta adhesiva
por ambas caras-trocitos de
madera-tornillos-destornillador-
pintura en spray dorada-
pegamento-palillos para pincho de
bambú-palillos-alicates-
conchas y caracolas marinas-
calabaza-calabacines-zanahorias-
daikon-hojas-ramitas

ESPAÑOL DE AMÉRICA
Nabo: daikon
Calabacita: calabacín

1. Tomar un marco de borde abombado de 35 x 50 cm (13,78 x 19,68 pulg.). Colorear el borde con pintura en spray dorada. Preparar la base de poliuretano tal y como hemos explicado anteriormente, rociarla con el spray (parecerá la arena del fondo marino) y fijarla detrás del marco. Utilizando el pegamento, empezar a pegar en la base de poliuretano y desde abajo varias conchas y caracolas de distintas formas, tamaños y colores.

2. Seguir recubriendo de conchas y caracolas hasta que ocupen dos tercios, aproximadamente, de la superficie. En la parte superior hay que pegar unas hojas y ramitas verdes hasta que cubran completamente el fondo.

3. Tallar algunos peces y flores a su gusto siguiendo las indicaciones de los diseños del libro. Con la ayuda de los palillos para pincho de bambú y de palillos, empiece a colocar en el cuadro las distintas flores talladas.

4. Poner las flores que haya elegido entre las que mejor se adapten por su forma a un fondo marino.

5. Finalmente, completar el cuadro colocando los peces en un punto elegido y ensartarlos en un palillo para pincho que fijaremos en la base de poliuretano. A medida que coloque los distintos elementos tallados podrá ir viendo si quedan bien o si, por el contrario, deben cambiar de posición; proseguir así hasta obtener una composición equilibrada desde el punto de vista de los colores, de los "pesos", del vacío/lleno…, normas básicas de cualquier composición bonita, sea floral o no.

6. A continuación, con los alicates, recorte la parte sobrante de los palillos para pincho. He aquí el fondo marino terminado, lleno de conchas, caracolas, peces y algas.

Cuadro con calas

Tiempo:

2 horas

Dificultad:

3

¿Qué se necesita?:

marco-poliuretano-cinta adhesiva
por ambas caras-trocitos de
madera-tornillos-destornillador-
alambre-palillos-palillos para
pincho de bambú-esponja verde-
alicates-hojas verdes alargadas-
hinojos-zanahorias-ramitas
con hojas-corteza

ESPAÑOL DE AMÉRICA
Alcatraz: cala

1. Tomar un marco rectangular de 50 x 70 cm (19,68 x 27,5 pulg.) y prepararlo para la composición colocando un panel de poliuretano tal y como hemos explicado al principio del capítulo. Tras recubrir completamente un lado de la base de poliuretano con la cinta que pega por ambos lados, colocar encima de ésta unas hojas grandes, presionándolas para que queden bien fijadas. A continuación, enrollar la corteza haciendo un cono, atarla con el alambre y fijarla al cuadro con los palillos. Rellenar el cono con esponja verde de la que se usa en composiciones florales. Siguiendo las instrucciones del diseño "Un ramo de calas", hacer las calas con hinojos y zanahorias. Tomar un palillo para pincho de bambú y clavar la punta en el tallo de la cala, recortándolo con los alicates. Empezar a situar las calas fijando algunas en la base de poliuretano.

2. Ahora, colocar algunas calas dentro del cono de corteza: presionar con fuerza para que se introduzcan bien en la esponja del cono.

3. Seguir hasta completar un auténtico ramo de calas. Finalmente, rodear las flores con ramitas de hojas que clavaremos en la base de poliuretano gracias a la rigidez del tallo.

Jarrón de flores

Tiempo:

2 horas

Dificultad:

3

¿Qué se necesita?:

marco-poliuretano-trocitos de
madera-tornillos-destornillador-
cinta adhesiva por ambas caras-
palillos-palillos para pincho de
bambú-alicates-vaciador en V-
hojas de col-calabaza
de Castilla-zanahorias-
calabacines-daikon

ESPAÑOL DE AMÉRICA
Nabo: daikon
Calabacita: calabacín

1. Tomar un marco rectangular de 50 x 70 cm (19,68 x 27,5 pulg.) y prepararlo para la composición colocando un panel de poliuretano tal y como se explica al principio del capítulo. Tras recubrir completamente un lado de la base con la cinta adhesiva por ambas caras, colocar encima de ésta las hojas de col, presionándolas para que queden bien sujetas. Cortar una calabaza por la mitad y dividir cada una de estas mitades, horizontalmente, en dos partes: utilizar una como "jarrón" para el cuadro. Decorar el jarrón haciendo unas incisiones en aureola con el vaciador en V y partiendo del centro; a continuación, fijarlo al cuadro con los palillos para pincho.

2. Tallar las hojas y las flores según las instrucciones que encontrará en los distintos diseños. Partiendo de la parte superior del cuadro y yendo hacia abajo, empezar a colocar, en primer lugar y en semicírculo, las hojas de daikon.

3. Seguir colocando poco a poco todos los elementos con la ayuda de los palillos para pincho que fijaremos en la base. El orden es el siguiente: la hojas de zanahoria, las flores de daikon, las de zanahoria y las flores de calabacín. Terminar la composición insertando en corona una serie de hojas de calabacín talladas junto a unas hojas verdes.

Arcimboldo: el cuadro

Las obras de Giuseppe Arcimboldi, conocido como Arcimboldo, fascinan por su magia a quien las observa; representan, en la mayoría de los casos, rostros de personas realizados con composiciones de flores, frutas y verduras. Giuseppe Arcimboldi nació en Milán en 1527; a mediados de aquel siglo trabajó en el taller de la catedral de Milán antes de trasladarse a Viena como retratista y pintor predilecto de la corte. Los cuadros más conocidos del pintor, en los que nos hemos inspirado para hacer los que proponemos en estas páginas, están dedicados a las estaciones y a los elementos (Aire, Agua, Tierra y Fuego). La pintura de Arcimboldi se basa en una visión positiva de la naturaleza, madre generosa y dispensadora de energías e influencias benignas. En 1587 Arcimboldo volvió definitivamente a Milán, donde murió en 1593.

Tiempo:

2 horas

Dificultad:

2

¿Qué se necesita?:

marco-poliuretano-trocitos de madera-tornillos-destornillador-palillos para pincho de bambú-palillos-alicates-col morada-hojas de col-2 apios-roseta de hojas de piña-2 plátanos-2 endibias-2 calabacines-1 pera grande-2 peras pequeñas-4 manzanas pequeñas-2 manzanas rojas grandes-2 cebollas-1 pimiento rojo-uvas negras-hojas de hiedra

1. Tomar un marco rectangular de 70 x 100 cm (27,56 x 39,37 pulg.) y prepararlo para la composición tal y como se explica al principio del capítulo. Fijar alrededor del interior del marco las hojas de col morada usando los palillos de bambú; a continuación cortar los palillos para que no se vean.

ESPAÑOL DE AMÉRICA
Calabacita: calabacín

2. Encima de la achicoria y usando la misma técnica, fijar una serie de hojas de col dispuestas en corona.

3. Colocar en el centro del panel dos apios, uno junto al otro. Clavarlos con los palillos para pincho al poliuretano y, con los alicates, cortar la parte sobrante.

2

3

4. Usar los palillos de bambú que sean necesarios para fijar bien la composición y no correr el riesgo de que una parte del cuadro se desmorone de improviso.

5. Cortar por la mitad la roseta de hojas de piña y dividir también en dos ambas partes: serán las cejas del arcimboldo; colocarlas y fijarlas. Dos plátanos no demasiado grandes serán los párpados, que fijaremos también con los palillos de bambú.

6. Hacer los ojos con dos endibias; para las pupilas, cortar dos rodajas de la parte inferior de dos calabacines; la nariz será una bonita pera; los pómulos estarán formados por dos peras, cuatro manzanas pequeñas y dos cebollas que colocaremos como en la foto; para las mejillas, nada mejor que unas bellas manzanas rojas. Fijarlo todo sólidamente con palillos para pincho a la base de poliuretano.

6

7. Los otros dos cuartos de la roseta de hojas de piña serán los bigotes; para la boca, utilizaremos un pimiento rojo.

8. Finalmente, para hacer la barba se pueden usar unas hojas de col o de lechuga. Un consejo: cuando las frutas y verduras estén fijadas y permitan entrever los trazos del rostro del arcimboldo, trate de rellenar posibles vacíos en las zonas de los pómulos y de las mejillas con fruta de distintos tamaños y colores, pero colocándola simétricamente a ambos lados. Use unos racimos de uva negra para tener un arcimboldo moreno y de pelo rizado, colocando un racimo de manera que parezca una mata de pelo que cae sobre la frente. Termine el cuadro añadiendo hojas de hiedra en la parte superior.

Arcimboldo: la composición

Tiempo:

2 horas

Dificultad:

2

¿Qué se necesita?:

1 calabaza de Castilla-hojas
de col-6 apios-4 puerros-1 roseta
de hojas de piña-2 endibias-
2 calabacines- 1 pera grande-
2 peras amarillas pequeñas
y 2 verdes-4 manzanas rojas
pequeñas-2 manzanas rojas
grandes-1 pimiento rojo-hojas
de vid-papel transparente-
palillos para pincho de bambú-
palillos-alicates

1. Este arcimboldo sólo difiere del anterior en que, pese a estar colocado dentro de un cuadro, es tridimensional, es decir, una especie de estatua. ¿Cómo es posible? Fácil: se trata de crear un cuerpo central que pueda mantenerse en pie. De esta manera, podremos colocarlo directamente sobre la mesa, sobre un tabique o sobre un caballete. Tomar 6 apios y fijarlos envolviéndolos en el papel transparente. Serán el tronco sobre el cual crearemos toda la composición.

2. De aquí en adelante, el procedimiento es prácticamente idéntico al del cuadro explicado en el diseño anterior, así como la disposición de los distintos elementos y su sucesión. Cortar por la mitad la roseta de hojas de piña y dividir también en dos ambas partes para tener las cejas del arcimboldo; colocarlas y fijarlas con los palillos para pincho. Hacer los ojos con dos endibias; para las pupilas, cortar dos rodajas de la parte inferior de dos calabacines; la nariz es una bonita pera; los

1   **2**

ESPAÑOL DE AMÉRICA

Calabacita: calabacín

pómulos están formados por cuatro peras y seis manzanas de distintas tonalidades que colocaremos como en la foto; los bigotes son cuatro puerros, dos por lado, la boca es un bello y carnoso pimiento rojo y, para terminar, unas hojas de col para la barba. Finalizar la obra creando una cabellera formada por hojas rosáceas de vid.

3. Ya está lista la que podemos definir, de alguna manera, como obra de arte. Ahora hay que darle una base sólida que permita apoyar al arcimboldo sobre una mesa. Nada mejor que una calabaza de forma alargada y baja, en la que fijaremos la escultura escondiendo el punto de unión con unas hojas de col.

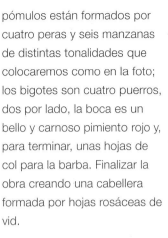

3

Tablas de equivalencias
más usuales

PESO

Sistema métrico	Sistema anglosajón
30 gramos (g)	1 onza (oz)
55 g	2 oz
85 g	3 oz
110 g	4 oz ($1/4$ lb)
140 g	5 oz
170 g	6 oz
200 g	7 oz
225 g	8 oz ($1/2$ lb)
255 g	9 oz
285 g	10 oz
310 g	11 oz
340 g	12 oz ($3/4$ lb)
400 g	14 oz
425 g	15 oz
450 g	16 oz (1 lb)
900 g	2 lb
1 kg	$2 1/4$ lb
1,8 kg	4 lb

CAPACIDAD (LÍQUIDOS)

Mililitros	Onzas fluidas	Otros
5 ml		1 cucharadita
15 ml		1 cucharada
30 ml	1 fl oz	2 cucharadas
56 ml	2 fl oz	
100 ml	$3 1/2$ fl oz	
150 ml	5 fl oz	$1/4$ pinta (1 gill)
190 ml	$6 1/2$ fl oz	$1/3$ pinta
200 ml	7 fl oz	
250 ml	9 fl oz	
290 ml	10 fl oz	$1/2$ pinta
400 ml	14 fl oz	
425 ml	15 fl oz	$3/4$ pinta
455 ml	16 fl oz	1 pinta EE UU
500 ml	17 fl oz	
570 ml	20 fl oz	1 pinta
1 litro	35 fl oz	$1 3/4$ pinta

TEMPERATURAS (HORNO)

Grados Celsius	Grados Fahrenheit	Gas
70	150	$1/4$
100	200	$1/2$
150	300	2
200	400	6
220	425	7
250	500	9

LONGITUD

Pulgadas	Centímetros
1 pulgada	2,54 cm
5 pulgadas	12,70 cm
10 pulgadas	25,40 cm
15 pulgadas	38,10 cm
20 pulgadas	50,80 cm

ABREVIATURAS

g = gramo
kg = kilogramo
oz = onza
lb = libra
l = litro
dl = decalitro
ml = mililitro
cm = centímetro
fl oz = onza fluida
pulg. = pulgada
°F = Fahrenheit